Disney

LA SIRENITA

Busca y encuentra

2007 Producido y editado por Phidal Publishing Inc.
5740 Ferrier, Montreal, Quebec, Canadá. H4P 1M7

Importado, publicado y editado en español en 2007 por
/ Imported, published and edited in Spanish in 2007 by:
Silver Dolphin en español, un sello editorial de / an imprint of:
Advanced Marketing S. de R. L. de C.V.
Calz. San Francisco Cuautlalpan, No. 102, Bodega D
Col. San Francisco Cuautlalpan,
Naucalpan de Juárez, Edo. de México. C.P. 53569
Fabricado e impreso en China

Busca y encuentra las 20 diferencias.
¡No dejes que te engañen las apariencias!

El pequeño Flounder ahora está en la imagen, y el Rey Tritón hace que sus delfines bajen.

Respuestas: 1. A la sirena le faltan las plumas en la parte de atrás. **2.** Falta un delfín. **3.** El caballito de mar no tiene collarín. **4.** A una sirena le falta su corona. **5.** Las notas musicales de Sebastián desaparecieron. **6.** La cola de una sirena es de distinto color. **7.** El pez rojo con la caracola mira en otra dirección. **8.** El pez anaranjado tiene labios más pequeños. **9.** El adorno en el pelo de una de las sirenas cambió de color. **10.** El pulpo está mirando hacia arriba. **11.** El tridente de Tritón apunta hacia abajo. **12.** La batuta de Sebastián está en su otra pinza. **13.** A la planta le falta una hoja. **14.** El color dentro de una de las ostras es distinto. **15.** Falta un pez. **16.** Flounder aparece en la escena. **17.** La ostra de la derecha tiene el borde liso. **18.** Uno de los delfines no tiene riendas. **19.** Un pez es de distinto color. **20.** Una sirena tiene tirantes.

Busca y encuentra las 20 diferencias.
¡No dejes que te engañen las apariencias!

Sebastián se ha ido y Andrina con él. . .
Pero el Rey, furioso, a quien busca es a Ariel.

Respuestas: 1. A la banda del brazo de Tritón le falta un pedazo. **2.** La punta intermedia del tridente es diferente. **3.** A la corona de Tritón le falta una punta. **4.** El bigote de Tritón es más corto. **5.** Sebastián ya no está. **6.** El sombrero de una de las sirenas ahora es verde. **7.** Las borlas en la almohada han desaparecido. **8.** A una sirena le falta su corona. **9.** Una sirena tiene sólo una aleta. **10.** La ropa de una de las sirenas es diferente. **11.** Las líneas en la aleta de la cintura de Tritón desaparecieron. **12.** Las figuras en la banda del brazo de Tritón son cuadradas. **13.** La parte inferior del tridente está redondeada. **14.** El anillo de oro en la base del tridente ha desaparecido. **15.** El lado izquierdo del soporte es diferente. **16.** La almohada es de distinto color. **17.** Hay una perla en la almohada. **18.** La sirena púrpura ha desaparecido. **19.** El peinado de una de las sirenas es diferente. **20.** La cola de Tritón es de distinto color.

Busca y encuentra las 20 diferencias.
¡No dejes que te engañen las apariencias!

Y mientras su padre y hermanas los buscan, Sebastián y Ariel a Scuttle escuchan.

Respuestas: 1. Ariel lleva un pendiente. **2.** Faltan las líneas en la ropa de Ariel. **3.** La aleta dorsal de Flounder es diferente. **4.** Al tenedor le falta una punta. **5.** Hay una pluma extra en el copete de Scuttle. **6.** Las plumas de la cola de Scuttle son diferentes. **7.** Faltan las líneas en la aleta de la cintura de Ariel. **8.** El fleco de Ariel desapareció. **9.** Al ala derecha de Scuttle le falta una pluma. **10.** Scuttle tiene el pico cerrado. **11.** La base de la plataforma del vigía es diferente. **12.** A Ariel no se le ven los dientes. **13.** Sebastián está en la escena. **14.** Se ven las plumas en la parte inferior del ala derecha de Scuttle. **15.** El ala izquierda de Scuttle está al revés. **16.** Hay una estrella de mar en la roca. **17.** La piedra que está detrás de Scuttle es diferente. **18.** A la ropa de Ariel le falta una correa. **19.** La pata izquierda de Scuttle es diferente. **20.** La piedra sobre la que Scuttle está parado es diferente.

Busca y encuentra las 20 diferencias.
¡No dejes que te engañen las apariencias!

La sonrisa de Ariel ha desaparecido: piensa en el mundo donde nunca ha vivido...

Respuestas: 1. La boca de Ariel está cerrada. **2.** La aleta dorsal de Flounder es toda azul. **3.** Una de las rayas del cuerpo de Flounder desapareció. **4.** La llave de la estatuilla musical es redonda. **5.** Al sombrero le falta la pluma. **6.** La pierna de la chica está en una posición diferente. **7.** La sobrefalda de la estatua es más corta. **8.** A Sebastián le falta una pata. **9.** La pinza de Sebastián está en una posición diferente. **10.** Las aletas de Flounder apuntan hacia abajo. **11.** La aleta de la cintura de Ariel ya no está. **12.** Ariel tiene tirantes. **13.** Ariel mira a Flounder. **14.** Una pata en la base de la estatuilla musical es diferente. **15.** El caparazón de Sebastián es distinto. **16.** Falta un cofre. **17.** La ropa de Ariel es de distinto color. **18.** Ariel se acomodó el cabello detrás de la oreja. **19.** Flounder no tiene cejas. **20.** El cabello de Ariel es más corto.

Busca y encuentra las 20 diferencias.
¡No dejes que te engañen las apariencias!

La estatua ahora mira en otra dirección,
Y Ariel ve la escena con gran emoción.

Respuestas: 1. Las puntas de las alas de Scuttle son blancas. **2.** Falta una de las plumas de las alas de Scuttle. **3.** La cabeza de la estatua mira en la dirección opuesta. **4.** Los peldaños en una de las escaleras de cuerdas están al revés. **5.** La bota derecha de Eric es diferente. **6.** El cuello de camisa de Eric está cerrado. **7.** El brazo derecho de Grimsby está hacia abajo. **8.** A la estatua le falta un pico del escudo. **9.** La banda inferior alrededor del barril ha desaparecido. **10.** Falta una escalera de cuerda. **11.** La camisa de uno de los marineros es toda azul. **12.** A un marinero le falta su sombrero. **13.** A la estatua le faltan los guantes. **14.** El cinturón de Eric es de otro color. **15.** Falta la polea de la vela. **16.** Los faldones de Grimsby son más cortos. **17.** A un marinero le falta su pañuelo. **18.** Grimsby no tiene cola de caballo. **19.** Los pantalones de Grimsby son más largos. **20.** Las rayas de la cola de Scuttle han desaparecido.

Busca y encuentra las 20 diferencias.
¡No dejes que te engañen las apariencias!

Ariel arranca pétalos a una flor dorada.
Otra se vuelve azul frente a la sirena enamorada.

Respuestas: 1. Un pez anaranjado cambió de lugar. **2.** Ariel está sujetando dos pétalos. **3.** La flor blanca tiene cuatro pétalos. **4.** Falta una flor dorada. **5.** La aleta dorsal de Flounder es diferente. **6.** Falta la aleta de la cola de Flounder. **7.** El pez verde y el pez púrpura cambiaron de lugar. **8.** Una flor dorada ahora es azul. **9.** Apareció un pez frente al pelo de Ariel. **10.** Los ojos de Sebastián están medio cerrados. **11.** A la flor que está debajo de Flounder le falta un pétalo. **12.** A Flounder le falta una aleta. **13.** El pez anaranjado que está sobre la mano de Ariel mira hacia el otro lado. **14.** Faltan algunas líneas en el cabello de Ariel. **15.** Ariel tiene tirantes. **16.** Al pez verde le falta una aleta en la cola. **17.** El pez púrpura tiene aletas anaranjadas. **18.** Se agregaron algunas hojas rosadas. **19.** Se agregaron algunas burbujas de aire. **20.** La aleta de la cintura de Ariel ha desaparecido.

Busca y encuentra las 20 diferencias.
¡No dejes que te engañen las apariencias!

Aunque la corona del Rey es diferente, su cara aún expresa la furia que siente.

Respuestas: 1. Falta el candelabro. **2.** Falta la banda de la estatua. **3.** La túnica de la estatua es diferente. **4.** Falta una bola en el escudo de la estatua. **5.** La barba de Tritón es diferente. **6.** La corona de Tritón tiene otra forma. **7.** La lengua de Tritón no se ve. **8.** Una de las tres piedras ha desaparecido. **9.** Falta un lado del escudo de la estatua. **10.** El dedo meñique de Tritón está estirado. **11.** El tridente de Tritón tiene bolas en la punta. **12.** A Tritón le falta una de las bandas de los brazos **13.** La banda del brazo de Tritón es distinta. **14.** Falta la tapa del cofre. **15.** Falta una de las aletas de la cola de Tritón. **16.** El puño de la espada de la estatua ha desaparecido. **17.** A Tritón le falta el pulgar. **18.** Las cejas de Tritón son negras. **19.** Las rayas de la aleta de la cola de Tritón han desaparecido. **20.** El mango del tridente de Tritón es más corto.

Busca y encuentra las 20 diferencias. ¡No dejes que te engañen las apariencias!

El amigo Scuttle desvía la mirada:
Ariel ve sus piernas, emocionada.

Respuestas: 1. La ropa de Ariel es verde. **2.** La aleta dorsal de Flounder es toda azul. **3.** Falta una de las plumas de la cola de Scuttle. **4.** El dedo gordo de Ariel está en otra posición. **5.** Falta una piedra del fondo. **6.** Faltan las columnas bajo el muelle. **7.** La pinza de Sebastián apunta hacia abajo. **8.** A Sebastián le falta una pata. **9.** La pata de Scuttle es morada. **10.** La boca de Flounder está cerrada. **11.** El pelo de Ariel está metido detrás de la oreja. **12.** Al castillo le faltan tres ventanas. **13.** El techo de una de las torres es verde. **14.** Falta el barco. **15.** Falta un adorno en la torre cuadrada. **16.** Scuttle mira a Flounder. **17.** A Flounder le falta una de las rayas del cuerpo. **18.** Se añadió una bandera. **19.** La montaña no tiene picos. **20.** Una de las torres ya no está.

Busca y encuentra las 20 diferencias.
¡No dejes que te engañen las apariencias!

La copa de Eric se transformó en pera. Ariel trata de conquistarlo y no desespera.

Respuestas: 1. La "E" de la silla de Eric es diferente. **2.** El respaldo de la silla de Eric es de un color diferente. **3.** Las velas están encendidas. **4.** Falta una pera del frutero. **5.** Las mangas de Ariel son diferentes. **6.** Falta la cuchara de Grimsby. **7.** Le falta un brazo al candelabro. **8.** La camisa de Eric es distinta. **9.** La copa de Ariel ha desaparecido. **10.** A una pera le falta el tallo. **11.** Hay dos uvas sobre la mesa. **12.** La pipa de Grimsby echa burbujas. **13.** El adorno de la parte superior de la silla de Ariel no está. **14.** La silla de Ariel tiene una inicial. **15.** Eric sujeta una pera. **16.** Hay un diseño en el puño de la camisa de Grimsby. **17.** La bebida de Grimsby es de distinto color. **18.** El ojo de Grimsby está medio cerrado. **19.** Los ojos de Eric están abiertos. **20.** El pendiente de Ariel ya no está.

Busca y encuentra las 20 diferencias.
¡No dejes que te engañen las apariencias!

Eric está a punto de besar a Ariel. Las patas de Scuttle no parecen ser de él...

Respuestas: 1. El moño de Ariel ha desaparecido. **2.** Sebastián y una rana cambiaron de lugar. **3.** Scuttle tiene patas de flamenco. **4.** La pata de un flamenco es diferente. **5.** La proa del bote es diferente. **6.** El copete de Scuttle ha desaparecido. **7.** A un flamenco le falta la lengua. **8.** Flounder está en un sitio distinto. **9.** El cuello de uno de los flamencos es más corto. **10.** El pico de un flamenco ya no es púrpura. **11.** Las orillas del bote están redondeadas. **12.** El corpiño de Ariel es diferente. **13.** El escote de Ariel es diferente. **14.** La manga de Eric está bajada. **15.** Las plumas del ala del flamenco son diferentes. **16.** A una rana le falta una pierna. **17.** Falta una hoja de lirio. **18.** Una liana es más corta. **19.** A Eric le falta un brazo. **20.** El pico de Scuttle es de distinto color.

Busca y encuentra las 20 diferencias.
¡No dejes que te engañen las apariencias!

El engaño acaba de terrible modo: . .
¡El Príncipe Eric ahora lo ve todo!

Respuestas: 1. Falta un trozo de cuerda. **2.** La conchilla marina está volteada hacia el otro lado. **3.** A Scuttle le falta una pluma. **4.** Un panel de madera es diferente. **5.** Falta el guante de Eric. **6.** A la chaqueta de Eric le falta un botón. **7.** Eric está mirando a Scuttle. **8.** El pico de Scuttle está cerrado. **9.** Al pico de Scuttle le falta un color. **10.** La banda de Eric es de distinto color. **11.** Al pantalón de Eric le falta una raya. **12.** Falta el velo de Vanessa. **13.** A una de las aves le falta un ala. **14.** El puño de Eric es diferente. **15.** Una de las plumas del copete de Scuttle ha desaparecido. **16.** Falta un ave. **17.** Las bolas en un panel de madera ya no están. **18.** A Eric le falta una patilla. **19.** Los puños de Vanessa son diferentes. **20.** Faltan las plumas de la cola de Scuttle.

Busca y encuentra

Basado en la obra "Winnie the Pooh", de A.A. Milne y E.H. Shepard.
2007 Producido y editado por Phidal Publishing Inc.
5740 Ferrier, Montreal, Quebec, Canadá. H4P 1M7

Importado, publicado y editado en español en 2007 por
/ Imported, published and edited in Spanish in 2007 by:
Silver Dolphin en español, un sello editorial de / an imprint of:
Advanced Marketing S. de R. L. de C.V.
Calz. San Francisco Cuautlalpan, No. 102, Bodega D
Col. San Francisco Cuautlalpan,
Naucalpan de Juárez, Edo. de México. C.P. 53569
Fabricado e impreso en China

Busca y encuentra las 20 diferencias.
¡No dejes que te engañen las apariencias!

Un tapete redondo ha aparecido en la puerta y Tigger le dice a Pooh: "¡Apúrate y despierta!"

Respuestas: 1. El extremo de una de las barras de las cortinas es cuadrado. **2.** Una cortina tiene diseño de puntos. **3.** El lazo de una de las cortinas es verde. **4.** El retrato de Piglet cuelga a la izquierda. **5.** Hay una oruga en la silla. **6.** La gorra de dormir de Pooh es roja. **7.** A la gorra de dormir de Pooh le falta la borla. **8.** Al banquito le faltan dos patas. **9.** Pooh está acostado sobre la cola de Igor. **10.** El camisón de dormir de Pooh es más largo. **11.** Hay un tapete de bienvenida en la entrada. **12.** Hay una calabaza en el estante. **13.** El borde de la alfombra es verde. **14.** El patrón del fondo de la silla desapareció. **15.** La olla junto a la silla ya no está. **16.** Las ollas en la silla son diferentes. **17.** Hay otro retrato en la pared. **18.** Piglet está en la puerta. **19.** Falta un anillo de la cortina. **20.** Los ojos de Tigger están abiertos.

Busca y encuentra las 20 diferencias.
¡No dejes que te engañen las apariencias!

Hay un pastel distinto en el plato de Rito pero igual se divierte entre tanto amiguito.

Respuestas: 1. Tigger no tiene rayas. **2.** Rito tiene un dulce distinto en su plato. **3.** El banco de Rito se convirtió en una silla alta. **4.** La camisa de Christopher Robin es verde. **5.** Igor perdió la cola. **6.** Las velas del pastel están encendidas. **7.** La silla de Pooh es diferente. **8.** Búho lleva un sombrero distinto. **9.** Hay una olla de miel frente a Conejo. **10.** Hay un árbol extra en el fondo. **11.** El vaso de Búho está vacío. **12.** Hay un triciclo en la ilustración. **13.** Pooh sujeta una bandera. **14.** Piglet lleva sombrero. **15.** Conejo lleva un sombrero distinto. **16.** Hay un globo atado a la silla de Christopher Robin. **17.** La crin de Igor es más larga. **18.** En la bandeja queda un pastelillo. **19.** Topo se ha unido a la fiesta. **20.** La barriguita de Búho cambió de color.

Busca y encuentra las 20 diferencias.
¡No dejes que te engañen las apariencias!

En el huerto Tigger le dice a Conejo: "¡Hola!" Conejo le pregunta: "¿Qué te pasa en la cola?"

Respuestas: 1. Una de las calabazas tiene una cara. **2.** La oreja de Conejo cambió de color. **3.** En el tendedero faltan los pantalones azules. **4.** Uno de los tallos de calabaza está cortado. **5.** Falta la parte superior de los postes de la entrada. **6.** La ventana de la casa es diferente. **7.** Hay flores en el barril. **8.** Búho está en el jardín. **9.** Rito está colgado del tendedero. **10.** Una rana está sentada en la cerca. **11.** Conejo tiene la nariz rosa. **12.** La cola de Tigger es negra. **13.** A Conejo le falta la cola. **14.** A la carretilla le falta un asa. **15.** Pooh está sentado en la tina de lavar ropa. **16.** Uno de los tomates se convirtió en una olla de miel. **17.** Los bigotes de Tigger han desaparecido. **18.** Hay más tejas sobre la puerta. **19.** Al árbol grande le falta una rama. **20.** Piglet está en la entrada.

Busca y encuentra las 20 diferencias.
¡No dejes que te engañen las apariencias!

Al Bosque de los Cien Acres las lluvias han llegado. ¿Qué le sucede a Igor que está todo manchado?

Respuestas: 1. Topo se ha unido a la pandilla. **2.** El borde del sombrero de Christopher Robin está volteado hacia arriba. **3.** La puerta cambió de color. **4.** Rito está en la espalda de Igor. **5.** Búho lleva un sombrero. **6.** Tigger lleva una bufanda. **7.** Hay un árbol extra en el fondo. **8.** La isla es mucho más grande. **9.** La rama flotante ha desaparecido. **10.** Hay una flor en primer plano. **11.** A Búho le falta la cola. **12.** El vientre de Conejo es rosa. **13.** Cangu tiene un plato de galletas. **14.** Igor está cubierto de puntos. **15.** Las orejas de Cangu son más grandes. **16.** El impermeable de Christopher Robin tiene los botones rojos. **17.** Las botas de Christopher Robin son más cortas. **18.** En el árbol grande crecen flores. **19.** La camisa de Pooh es azul. **20.** La barriguita de Cangu es color marrón.

Busca y encuentra las 20 diferencias.
¡No dejes que te engañen las apariencias!

Los amigos ayudan a Búho con su casita. Pero ¿qué tiene Búho frente a su naricita?

Respuestas: 1. Conejo tiene un nuevo peinado. **2.** Falta la perilla de la puerta en el piso. **3.** Igor mira hacia el otro lado. **4.** El marco de la ventana es verde. **5.** La cola de Conejo es más grande. **6.** La chimenea está derecha. **7.** La barba de Búho es más larga. **8.** Los pantalones de Christopher Robin son más largos. **9.** La camisa de Pooh es morada. **10.** Hay una olla de miel junto a Conejo. **11.** A Christopher Robin le falta un calcetín. **12.** Tigger mete la cabeza por el techo. **13.** Búho lleva anteojos. **14.** Piglet lleva rayas más grandes. **15.** Los zapatos de Christopher Robin son rojos. **16.** Pooh lleva una gorra. **17.** Una rama extra crece del tronco del árbol. **18.** A Igor le falta la crin. **19.** La nariz de Conejo es más grande. **20.** El pelo de Christopher Robin es más largo.

Busca y encuentra las 20 diferencias.
¡No dejes que te engañen las apariencias!

El delantal de Cangu ha desaparecido. Y allá va Pooh en la nieve... ¿Será que está perdido?

Respuestas: 1. Faltan los nombres en los buzones. **2.** Uno de los postes de la cerca es ahora un muñeco de nieve. **3.** La puerta tiene una ventana cuadrada. **4.** Uno de los postes del porche es distinto. **5.** La chapa de la puerta es roja. **6.** La cola de Tigger no tiene rayas. **7.** La escoba de Cangu está al revés. **8.** La bufanda de Cangu es más larga. **9.** Uno de los árboles tiene decoraciones. **10.** El delantal de Cangu desapareció. **11.** El buzón de Rito es más grande. **12.** La camisa de Rito es roja. **13.** Cangu lleva pantuflas. **14.** El árbol grande tiene una ram extra. **15.** Hay un carámbano grande encima de Cangu. **16.** Pooh pasa por ahí. **17.** Falta uno de los barandales del porche. **18.** Hay huellas en la nieve. **19.** Una luz brilla en la casa. **20.** Hay un árbol extra en el fondo.

Busca y encuentra las 20 diferencias.
¡No dejes que te engañen las apariencias!

Christopher Robin tiene una bufanda nueva. En este día de invierno todos ven cómo nieva.

Respuestas: 1. Tigger sonríe. **2.** Tigger tiene la cola levantada. **3.** Los ojos de Conejo están abiertos. **4.** Hay nieve en el pelo de Christopher Robin. **5.** El abrigo de Christopher Robin tiene otros botones. **6.** La bufanda de Piglet cambió de color. **7.** Christopher Robin lleva una bufanda. **8.** La piel de Conejo cambió de color. **9.** Hay un árbol al fondo. **10.** Christopher Robin lleva orejeras. **11.** El abrigo de Christopher Robin tiene puños. **12.** El traje de Piglet no tiene rayas. **13.** Rito está en la bolsa de Cangu. **14.** Hay dos ollas de miel. **15.** La cola de Conejo es anaranjada. **16.** No hay huellas en la nieve. **17.** Igor aparece en la escena. **18.** La nariz de Tigger es rosa. **19.** Pooh tiene ombligo. **20.** El vientre de Tigger es color marrón.

Busca y encuentra las 20 diferencias.
¡No dejes que te engañen las apariencias!

En la silla de Pooh hay un patrón de flores... ¡Fíjate bien y cuenta los platos voladores!

Respuestas: 1. El asa de la taza de té de Piglet cambió de lugar. **2.** La tapa de la olla de miel ha desaparecido. **3.** El reloj tiene diferente forma. **4.** Hay una taza extra sobre la mesa. **5.** La sartén está al revés. **6.** La silla de Pooh tiene un diseño de flores. **7.** Salen más platos de la alacena. **8.** Los platos han reemplazado a las tazas que caen. **9.** Hay un tren detrás de la silla de Pooh. **10.** El fuego arde en la chimenea. **11.** Falta el asa de uno de los cajones. **12.** Al banco de Piglet le falta una pata. **13.** Las manchas del pecho de Búho han desaparecido. **14.** Las patas de la alacena son distintas. **15.** Una de las botellas ya no tiene su corcho. **16.** El apagavelas ha desaparecido del candelero. **17.** A la mecedora le falta un brazo. **18.** El montón de platos ha desaparecido de la repisa. **19.** La ropa de Piglet no tiene rayas. **20.** La chimenea está decorada con mosaicos verdes.

Busca y encuentra las 20 diferencias.
¡No dejes que te engañen las apariencias!

El viejo amigo Búho llega a saludar.
Y también el buen Igor acaba de llegar.

Respuestas: 1. Hay una cerca en el fondo. **2.** En el extremo derecho aparecieron ramas de árbol. **3.** Se añadieron ollas de miel. **4.** Búho aparece en la escena. **5.** Igor aparece en la escena. **6.** Al árbol grande le falta una rama. **7.** Crecen hojas en uno de los arbustos. **8.** El suéter de Christopher Robin cambió de color. **9.** El brazo de Rito está escondido. **10.** A Conejo le falta la cola. **11.** La nariz de Tigger cambió de color. **12.** Conejo tiene un párpado. **13.** Cangu trae una bandera. **14.** Hay un árbol al fondo. **15.** Tigger lleva sombrero. **16.** La camisa de Pooh es más larga. **17.** El traje de Piglet no tiene rayas. **18.** Los botones en el abrigo de Christopher Robin son diferentes. **19.** Hay un reloj en el árbol. **20.** A Cangu le falta una oreja.

Busca y encuentra las 20 diferencias.
¡No dejes que te engañen las apariencias!

¿A quién tras la puerta podemos ya ver?
¿Y dónde es que Rito se fue a esconder?

Respuestas: 1. Pooh no está caminando. **2.** Igor tiene un moño azul. **3.** A la puerta del frente le falta una viga. **4.** Pooh tiene un globo. **5.** Rito desapareció. **6.** Los calcetines de Christopher Robin son negros. **7.** El banco sólo tiene dos patas. **8.** La corneta cambió de forma. **9.** Las baquetas están sobre el tambor. **10.** Hay un bloque extra en el césped. **11.** Sale humo de la locomotora. **12.** Las cajas dentro del árbol han desaparecido. **13.** El tambor es verde. **14.** Hay flores al lado de Igor. **15.** El arco encima de la puerta es diferente. **16.** Hay una piedra detrás de Cangu. **17.** Piglet está en la escena. **18.** Hay una calabaza en la base del árbol, a la izquierda. **19.** Las alas de Búho no tienen color marrón. **20.** Tigger está detrás de la puerta.

Busca y encuentra las 20 diferencias.
¡No dejes que te engañen las apariencias!

El Oso Pooh hoy no duerme a gusto ¡Tiene muchos sueños que le dan susto!

Respuestas: 1. Uno de los globos sonríe. **2.** El globo azul es diferente. **3.** A la olla de miel le falta la tapa. **4.** La gorra del ratón es más pequeña. **5.** La pluma en la gorra del ratón es morada. **6.** El elefante más grande tiene antenas diferentes. **7.** Uno de los animales ha perdido sus manchas rojas. **8.** Hay otro globo en el cielo. **9.** Al globo verde le falta su canasta. **10.** La nariz de uno de los muñecos de sorpresa cambió de color. **11.** El elefante más grande tiene manchas en vez de rayas. **12.** El elefante más pequeño tiene orejas grandes. **13.** La trompeta del ratón es más larga. **14.** El muñeco de cabeza roja no tiene dientes. **15.** Uno de los muñecos de sorpresa no tiene pelo en la cabeza. **16.** Una de las cajas es roja. **17.** La camisa de Pooh es más larga. **18.** La raya en la olla de miel que corre es azul. **19.** La trompa del elefante más pequeño apunta hacia arriba. **20.** El animal agachado tiene orejas verdes.

2007 Producido y editado por Phidal Publishing Inc.
5740 Ferrier, Montreal, Quebec, Canadá. H4P 1M7

Importado, publicado y editado en español en 2007 por
/ Imported, published and edited in Spanish in 2007 by:
Silver Dolphin en español, un sello editorial de / an imprint of:
Advanced Marketing S. de R. L. de C.V.
Calz. San Francisco Cuautlalpan, No. 102, Bodega D
Col. San Francisco Cuautlalpan,
Naucalpan de Juárez, Edo. de México. C.P. 53569
Fabricado e impreso en China

Busca y encuentra las 20 diferencias.
¡No dejes que te engañen las apariencias!

A Rafiki en el árbol puedes ver, mientras Simba más feliz no puede ser.

Respuestas: 1. Rafiki está en el árbol. **2.** Hay un saltamontes en la cabeza de Simba. **3.** Mufasa tiene cuatro dedos en lugar de cinco. **4.** A Mufasa le faltan bigotes. **5.** Hay un ratón debajo de Mufasa. **6.** La barriga de Mufasa es de distinto color. **7.** Falta una brizna de pasto. **8.** Simba está sacando la lengua. **9.** Simba tiene más dientes. **10.** A Mufasa le falta una oreja. **11.** La nariz de Simba cambió de color. **12.** Falta una piedra. **13.** Falta un árbol. **14.** La cola de Mufasa es más corta. **15.** La cola de Simba es diferente. **16.** Mufasa tiene ojos azules. **17.** La melena de Mufasa es más larga. **18.** Mufasa tiene pelos en el mentón. **19.** Timón está en la escena. **20.** Zazú está en la escena.

Busca y encuentra las 20 diferencias.
¡No dejes que te engañen las apariencias!

Los cachorros en busca de aventuras van,
¡Mira! ¡Desde el árbol Skar ve que siguen su plan!

Respuestas: 1. Zazú tiene menos plumas en la cola. **2.** Los ojos de Zazú son diferentes. **3.** Las puntas de las alas de Zazú son de distinto color. **4.** Zazú tiene pecas en el pico. **5.** A la sombra de Zazú le falta una pluma. **6.** Skar se asoma desde el árbol. **7.** Hay una hiena frente al árbol. **8.** Falta la cola de Nala. **9.** La nariz de Nala es negra. **10.** Hay otro pájaro en la escena. **11.** El interior de las orejas de Simba es todo de un color. **12.** A Zazú le falta una garra. **13.** La lengua de Zazú no se ve. **14.** Falta un manojo de pasto. **15.** Un árbol cambió de lugar. **16.** La boca de Nala está abierta. **17.** Nala lleva un cabestrillo. **18.** Hay una flor al lado de Simba. **19.** No hay sombra debajo de Nala. **20.** Se añadió un árbol.

Busca y encuentra las 20 diferencias.
¡No dejes que te engañen las apariencias!

Las plumas del ave cambian de color al ver que el cachorro lucha con valor.

Respuestas: 1. Zazú tiene manchas. **2.** Las plumas de la cabeza de Zazú son diferentes. **3.** Las plumas de la cola de Zazú son diferentes. **4.** A una hiena le faltan dientes. **5.** Las manchas de una hiena son diferentes. **6.** Falta parte de la melena de una hiena. **7.** Faltan huesos en el fondo. **8.** Se añadió un hueso. **9.** El ojo de la hiena es diferente. **10.** La cola de una hiena está hacia el otro lado. **11.** Falta Nala. **12.** A la hiena del centro le faltan manchas. **13.** A una hiena se le añadió una oreja. **14.** A la hiena en el centro le faltan pelos en el fleco. **15.** El pico de Zazú es todo de un color. **16.** Se añadió la Luna. **17.** Simba tiene manchas. **18.** A una hiena le falta la parte de abajo de la pata. **19.** La cola de Simba es diferente. **20.** A una hiena le falta una pata.

Busca y encuentra las 20 diferencias.
¡No dejes que te engañen las apariencias!

Skar ve la escena y ya no está sentado: el cachorro espera a ser rescatado.

Respuestas: 1. Skar está en una posición diferente. **2.** A la pata de Simba le falta la parte de abajo. **3.** Las plumas de la cola de Zazú han desaparecido. **4.** A Mufasa le falta una pata. **5.** A un ñu le faltan los cuernos. **6.** A un ñu le faltan algunas rayas. **7.** Una pila de rocas es más corta. **8.** Falta una parte de las rocas. **9.** Falta un ñu. **10.** Hay huellas de patas en las rocas. **11.** Se añadieron hienas. **12.** A un ñu le falta la cola. **13.** Hay plantas en las rocas. **14.** Falta una rama. **15.** El costado del cañón es más corto. **16.** Los ojos de Simba son diferentes. **17.** Se añadieron dos leonas. **18.** Se añadió un árbol. **19.** Los ojos de Zazú son diferentes. **20.** Hay un buitre en el cielo.

Busca y encuentra las 20 diferencias.
¡No dejes que te engañen las apariencias!

El rinoceronte un cuerno ha perdido mientras todos celebran que Simba ha nacido.

Respuestas: 1. A un elefante le falta el colmillo. **2.** A una jirafa le faltan algunas manchas. **3.** A una cebra le faltan algunas rayas. **4.** Los leones en la roca cambiaron de lugar. **5.** Pumba está en la cima de la roca. **6.** Las manchas de una jirafa tienen una forma distinta. **7.** Los dedos de un elefante están pintados. **8.** Los cuernos del antílope son diferentes. **9.** Una de las orejas de la jirafa es de distinto color. **10.** Una de las orejas de la jirafa apunta en otra dirección. **11.** El leopardo tiene menos manchas. **12.** Una jirafa sonríe. **13.** El ojo del antílope está abierto. **14.** A un rinoceronte le falta un cuerno. **15.** Falta la raya del antílope. **16.** El guepardo está sonriendo. **17.** A una cebra le falta una pierna. **18.** A una jirafa le falta un cuerno. **19.** Se añadió una flor. **20.** A una cebra le falta la crin.

Busca y encuentra las 20 diferencias.
¡No dejes que te engañen las apariencias!

Simba está perdido en las arenas ardientes... ¡Pumba va a rescatarlo, aunque le falten dientes!

Respuestas: **1.** A Pumba le falta un diente. **2.** Los ojos de Pumba se están cerrando. **3.** La cola de Pumba es diferente. **4.** El pelo de Pumba es diferente. **5.** Pumba sólo tiene una fosa nasal. **6.** A Timón le faltan rayas. **7.** A Timón le faltan dientes. **8.** La cola de Timón es diferente. **9.** Falta una roca. **10.** Se añadió una flor. **11.** Timón está mirando hacia arriba. **12.** Hay un corte extra en la hoja grande en primer plano. **13.** Las orejas de Pumba son diferentes. **14.** Falta el color de la barriguita de Simba. **15.** Un árbol cambió de lugar en el fondo. **16.** Falta un pequeño manojo de pasto. **17.** A una palmera le falta una hoja. **18.** El brazo de Timón está hacia abajo. **19.** Faltan las montañas. **20.** Pumba lleva un pendiente.

Busca y encuentra las 20 diferencias.
¡No dejes que te engañen las apariencias!

A Simba le enseñan Hakuna Matata... ¡Y hay otra catarina en esa mata!

Respuestas: **1.** Se añadió la cara de Mufasa. **2.** A Pumba le falta un diente. **3.** Falta una cuerda. **4.** A una catarina le faltan las manchas. **5.** La oruga es de distinto color. **6.** Las antenas de la catarina desaparecieron. **7.** Pumba tiene abierto el ojo. **8.** La nariz de Pumba es toda negra. **9.** A Timón le faltan rayas. **10.** La mano de Timón está detrás de su cabeza. **11.** A Simba le falta la cola. **12.** Hay una flor entre las hojas. **13.** Se añadió una catarina. **14.** La cola de Timón está hacia abajo. **15.** A Simba le falta un diente. **16.** La barriguita de Pumba es rosa. **17.** Los ojos de Simba son diferentes. **18.** Las orejas de Simba son diferentes. **19.** Las pezuñas de Pumba son diferentes. **20.** A Simba le faltan las fosas nasales.

Busca y encuentra las 20 diferencias.
¡No dejes que te engañen las apariencias!

Rafiki aparece en la escena...
¡Y la gentil Nala no parece buena!

Respuestas: 1. Una de las garras de Nala está hacia arriba. **2.** Uno de los dientes de Nala es diferente. **3.** El ojo de Nala es diferente. **4.** Hay un pájaro extra en la escena. **5.** A Pumba le falta un colmillo. **6.** Se añadió una flor. **7.** La barriguita de Timón es diferente. **8.** Se añadió una roca. **9.** Rafiki está en la escena. **10.** Hay un bicho en la cola de Pumba. **11.** A Simba le faltan las garras. **12.** A Simba le faltan los bigotes. **13.** Una de las patas de Timón es diferente. **14.** A Simba le falta la cola. **15.** La barriga de Nala es diferente. **16.** Zazú está en la escena. **17.** Hay un arbusto extra en el árbol. **18.** Falta una rama del árbol. **19.** La oreja de Nala es diferente. **20.** Hay una huella de pata en el árbol.

Busca y encuentra las 20 diferencias.
¡No dejes que te engañen las apariencias!

Por fin los amigos se han encontrado. ¿Quién a Pumba las pezuñas le habrá pintado?

Respuestas: 1. El brazo de Timón es diferente. **2.** A Timón le faltan rayas. **3.** La lengua de Timón no se ve. **4.** La cola de Pumba es diferente. **5.** Rafiki está en la escena. **6.** Se añadió una catarina. **7.** A Pumba le falta un diente. **8.** Hay un bicho en la boca de Pumba. **9.** La melena de Pumba es de un color diferente. **10.** Las pezuñas de Pumba son de distinto color. **11.** Falta una planta frente al árbol. **12.** Las orejas de Pumba son diferentes. **13.** Uno de los ojos de Pumba está cerrado. **14.** A Simba le faltan los bigotes. **15.** Se añadió una flor al árbol. **16.** Hay una flor en una planta. **17.** Falta la parte de abajo de la pata de Simba. **18.** Hay más flores en la liana. **19.** La cola de Nala es diferente. **20.** La nariz de Pumba es diferente.

Busca y encuentra las 20 diferencias.
¡No dejes que te engañen las apariencias!

En la nueva imagen las lianas florecen. Al ver partir a su amigo, Timón y Pumba entristecen.

Respuestas: 1. Hay una liana extra en la rama en el agua. **2.** Hay una roca extra en el agua. **3.** La cascada es diferente. **4.** Hay flores en el árbol de la derecha. **5.** Hay flores alrededor de la base del árbol. **6.** Rafiki está en el árbol. **7.** Falta una rama de la parte de arriba del árbol caído. **8.** Pumba está detrás del árbol. **9.** Hay un bicho en la liana en el agua. **10.** Hay flores sobre el árbol caído. **11.** Se ve la cola de Simba. **12.** Falta una liana en el árbol de la derecha. **13.** Timón está en la escena. **14.** Hay cañas extra en el agua. **15.** Falta una raíz del árbol en la orilla de la izquierda. **16.** Hay flores extra en la liana en el agua. **17.** Hay un pájaro en la escena. **18.** Se añadieron rocas a la orilla derecha. **19.** Hay una flor en la base del árbol caído. **20.** Falta la flor grande de la rama en el agua.

Busca y encuentra las 20 diferencias. ¡No dejes que te engañen las apariencias!

Hacia su futuro Simba ya ha partido.
¡Ve el pelo de Pumba cuánto ha crecido!

Respuestas: 1. Falta una bola en el bastón de Rafiki. **2.** Falta la X en una de las bolas. **3.** Hay flores en el árbol. **4.** El bastón de Rafiki es más corto. **5.** A Rafiki le falta un diente. **6.** La barriga de Rafiki es diferente. **7.** El dedo de Rafiki está levantado. **8.** Se ve la garra de Nala. **9.** Los colmillos de Pumba cambiaron de color. **10.** Falta una parte de la liana. **11.** Hay una hoja de palma extra a la derecha. **12.** Hay una catarina en una hoja. **13.** Hay una flor en una hoja. **14.** A Nala le falta una oreja. **15.** Timón está volteado. **16.** La cola de Pumba es diferente. **17.** El pelo de Pumba es diferente. **18.** Se han agregado rocas. **19.** Zazú está en la escena. **20.** La cola de Nala es diferente.